10 SORTES DE FOI

Découvrez un Dieu aimant qui peut vous répondre même lorsque vous doutez de Lui, tout comme Abraham, Marthe et Pierre.

Michel KIMI

E-mail : michelkimi37@gmail.com

Toutes les citations bibliques sont tirées de la Sainte Bible,

New American Standard Bible (NASB) © 1971.

La New American Standard Bible a reçu les éloges de nombreux érudits pour sa précision et sa lisibilité.

New International Version® (NIV) Copyright © 1973, 1978, 1984, 2011 by Biblica, Inc.™

Nouvelle traduction vivante (NLT) © 2015.

Publié par Fresh Word publishing

Contact

Téléphone : +233552348265

E-mail : freshwordp@gmail.com

TABLE DES MATIERES

DÉDICACE

Je dédie ce livre à mon père biologique, merci pour la bénédiction que tu es pour moi. Je t'aime Papa Justin.

REMERCIEMENTS

Pasteur Elliot Luabeya*, je tiens à exprimer ma gratitude sincère pour avoir été à mes côtés au fil des années et pour tes sacrifices désintéressés. Tes contributions sont éternellement appréciées au ciel et profondément chéries dans mon cœur.*

Je voudrais également exprimer ma sincère gratitude à ***Daniel Kazadi*** *et* ***Magalie Anne****. Que le Seigneur se souvienne grandement de vous pour votre gentillesse envers moi et le ministère. Que vos noms soient mentionnés devant de grands hommes, que vous trouviez grâce devant Dieu tant que vous vivrez.*

INTRODUCTION

Hébreux 11

----

[1] La FOI est maintenant la SUBSTANCE des choses espérées, la PREUVE des choses invisibles. [2] Car c'est par elle que les anciens ont obtenu un bon témoignage. (NKJV)

Dans la Bible, la foi est comme un joyau précieux avec de nombreuses facettes différentes. Ce livre, ***'10 Sortes de Foi**,'* vous emmène en voyage pour explorer ces différentes facettes de la foi qui ont un impact sur nos vies.

Qu'est-ce que la foi ? C'est la SUBSTANCE des choses que nous espérons, la PREUVE et la CONVICTION des choses invisibles. C'est l'approbation, la validation de Dieu.

La foi est l'un des sujets les plus importants de la Bible. Elle est au centre de notre relation avec Dieu. Toute notre vie est liée à la foi. Nous recevons le salut, le pardon, la guérison et les bénédictions grâce à la foi. Nous croyons que nous irons au ciel, et nous croyons que nous avons le Saint-Esprit. Nous savons que lorsque nous prions, Dieu écoute et répond, tout cela grâce à la foi.

Mon père biologique est celui qui m'a appris la foi. Il nous a non seulement enseigné la foi, mais l'a aussi pratiquée.

Je me souviens vivement d'une fois où ma sœur Bénie a fait une crise. Papa l'a prise dans ses bras, et nous avons tous prié. Nous avons prié jusqu'à ce qu'elle se réveille complètement guérie. En tant que enfant, je ne pouvais m'empêcher d'admirer la foi inébranlable de notre père en Dieu. Ce jour-là, nous avons célébré Dieu pour la délivrance qu'Il nous a accordée. Maman était ravie de voir sa fille forte et en bonne santé.

La foi de papa en Dieu était la raison pour laquelle il nous a tous rassemblés pour prier, et c'est grâce à notre foi collective que Dieu a accompli le miracle.

Vous n'avez pas besoin d'une grande foi ; vous avez juste besoin de mettre en pratique celle que vous avez déjà. Utilisez la foi que vous avez reçue.

Je dis souvent : "Si votre foi vous a sauvé, que peut-elle ne pas faire pour vous ?"

La personne qui a la foi ne reculera pas ; elle restera débout et recevra la délivrance pour son âme, sa vie et son destin.

En explorant ces ***dix sortes de foi***, vous verrez que certaines personnes avaient une foi forte et ont reçu ce qu'elles attendaient, tandis que d'autres, comme Abraham, le prêtre Zacharie, Marthe, et même Pierre, doutaient de Dieu, mais Dieu est quand même venu les aider à recevoir de Lui.

Venez avec nous dans ce voyage pour mieux comprendre la foi. '10 Sortes de Foi' vous montrera que la foi est une force puissante qui peut changer votre vie en mieux."

Hébreux 10 (NET)

----

38 Mais mon juste vivra par la foi, et s'il recule, je n'aurai pas de plaisir en lui. 39 Mais nous ne sommes pas de ceux qui reculent et périssent ainsi, MAIS NOUS SOMMES DE CEUX QUI ONT LA FOI ET PRÉSERVENT LEURS ÂMES.

Profitez de la lecture et soyez bénis.

CLASSIFICATION

Chaque enfant de Dieu possède la foi, bien que sous des formes et des mesures différentes.

> *"Par la grâce qui m'a été donnée, je dis à chacun d'entre vous de ne pas penser de lui-même plus haut qu'il ne faut penser, mais de penser avec discernement sobre, car DIEU A DISTRIBUTÉ À CHACUN DE VOUS UNE MESURE DE FOI."*
>
> **- *Romains 12:3 (NET)***

Nos interactions avec Dieu sont influencées par le niveau de foi que nous détenons. Nous ne pouvons pas l'atteindre uniquement par nos efforts ; au lieu de cela, nous nous approchons en nous appuyant sur Sa grâce.

- ✓ Pierre a manifesté une ***foi hésitante(le doute)***, mais elle a produit des résultats grâce à l'aide de Jésus.
- ✓ Dans Matthieu 17:20, Jésus a souligné que même ***une petite foi*** peut accomplir l'extraordinaire.

- ✓ La femme syro-phénicienne a persévéré malgré le découragement initial de Jésus, démontrant sa détermination. Finalement, Jésus a reconnu ***sa grande*** foi (Matthieu 14:28).

Votre foi, quelle que soit sa taille ou sa nature, peut produire des résultats remarquables lorsqu'elle est combinée à la grâce de Dieu et à notre détermination.

01

LA FOI QUI REFLECHIT

Un bon raisonnement peut résoudre des problèmes

La Foi Qui Réfléchit

Il y a de nombreuses raisons pour lesquelles Dieu nous a donné un cerveau

Observons quelqu'une

1. Croissance intellectuelle et compréhension :

Dieu nous a donné un cerveau pour nous permettre de réfléchir, raisonner, et comprendre le monde qui nous entoure. C'est par notre cerveau que nous avons la capacité d'apprendre et d'acquérir des connaissances.

- **Proverbes 2:6 (NIV***) : "Car c'est de sa bouche que viennent la sagesse et la science."*

2. Liberté de volonté et prise de décision

Notre cerveau nous donne la capacité de faire des choix et des décisions. Dieu valorise la liberté de votre volonté, et notre cerveau nous permet d'exercer cette liberté de volonté en prenant des décisions morales, éthiques, et personnelles conformes à nos croyances et à nos valeurs.

*- **Deutéronome 30:19** (NIV) : "Je prends aujourd'hui à témoin contre vous le ciel et la terre : j'ai mis devant toi la vie et la mort, la bénédiction et la malédiction. Choisis la vie, afin que tu vives, toi et ta postérité."*

*- **Josué 24:15** (NIV) : "Et si vous ne trouvez pas bon de servir l'Éternel, choisissez aujourd'hui qui vous voulez servir... moi et ma maison, nous servirons l'Éternel."*

3. Connexion spirituelle :

Bien que le cerveau soit un organe physique, beaucoup croient qu'il joue un rôle dans notre connexion spirituelle avec Dieu. Il nous permet de méditer et de rechercher une compréhension plus profonde de la foi et de la spiritualité, offrant un moyen aux individus de prier, de réfléchir sur leur relation avec Dieu.

- ***Psaume 63:1*** *(NIV) : "O Dieu, tu es mon Dieu, je te cherche ; mon âme a soif de toi, mon corps soupire après toi, dans une terre aride, desséchée, sans eau."*

- ***Matthieu 22:37*** *(NIV) : "Jésus lui répondit : Tu aimeras le Seigneur, ton Dieu, de tout ton cœur, de toute ton âme, et de toute ta réflexion."*

4. Créativité et innovation :

Dieu nous a dotés de la capacité de créativité et d'innovation grâce à notre cerveau. Cela nous permet de créer de l'art, de la musique, de la littérature, et des avancées technologiques qui améliorent nos vies et le monde qui nous entoure. Cela reflète la créativité de Dieu et nous permet d'être des cocréateurs pour façonner notre environnement.

- ***Exode 35:31*** *(NIV) : "Il l'a rempli de l'Esprit de Dieu, de sagesse, d'intelligence, de connaissance, et de toute espèce d'ouvrages."*

- ***Genèse 1:27*** *(NIV) : "Dieu créa l'homme à son image, il le créa à l'image de Dieu, il créa l'homme et la femme."*

5. **Résolution de problèmes et adaptation**

Nos cerveaux sont essentiels pour la résolution de problèmes et l'adaptation. La création de Dieu est complexe et en constante évolution, et notre capacité à utiliser notre cerveau pour analyser les situations, s'adapter à de nouveaux défis, et trouver des solutions est le reflet de la sagesse de Dieu et de Son désir que nous prospérions et surmontions les obstacles dans la vie.

- ***Ecclésiaste 10:10*** *: "Si la hache est émoussée et qu'on ne l'a pas aiguisée, il faut redoubler d'efforts. LA SAGESSE A L'AVANTAGE DE DONNER DU SUCCÈS. NABS"*

Il y a une histoire de miracle dans le livre de Marc, chapitre 2, au sujet de la foi qui réfléchit. Cette histoire nous rappelle le pouvoir incroyable de la foi, de l'amitié, et de la résolution créative des problèmes pour rapprocher les gens de Jésus. Explorons cette histoire en gardant à l'esprit trois points clés.

I. Leur volonté d'aider leur ami à recevoir la guérison :

Le premier point que nous trouvons dans cette histoire est la volonté inébranlable des amis d'aider leur compagnon paralysé à recevoir la guérison. Ces amis ont reconnu le besoin désespéré de leur ami de rencontrer Jésus et de changer sa vie de manière significative. Leur foi n'était pas simplement une croyance passive ; c'était un engagement actif et désintéressé pour apporter la guérison à leur ami.

- Nous pouvons apprendre de cela en nous demandant si nous sommes prêts à faire de grands efforts pour aider ceux qui ont besoin autour de nous. Sommes-nous prêts à être le pont qui les relie à Jésus ?

II. Le défi qu'ils ont rencontré :

> *Lorsque nous sommes confrontés à des obstacles dans nos efforts pour amener les gens à Christ, souvenons-nous que la persévérance et la foi vont de pair.*

Lorsque les amis sont arrivés à la maison bondée où Jésus enseignait, ils ont rencontré leur premier défi : il n'y avait pas de place pour eux pour entrer. L'endroit était rempli de gens impatients d'entendre les paroles de Jésus et de voir Ses miracles.

> *Cet obstacle aurait pu les décourager, mais ils ont persévéré.*

✓ Les défis font partie de notre parcours de foi. Lorsque nous sommes confrontés à des obstacles dans nos efforts pour amener les gens à Christ, rappelons-nous que la persévérance et la foi vont de pair. Cela devrait nous inspirer à ne pas être découragés par les défis que nous rencontrons, mais à trouver des solutions créatives.

III. Comment Ils Ont Utilisé Leur Cerveau en Réfléchissant à Comment Surmonter Ce Défi :

C'est ici que l'histoire brille vraiment. Confrontés à l'obstacle d'une maison bondée, ces amis ont fait quelque chose d'extraordinaire : ils ont utilisé leur cerveau pour réfléchir à une solution non conventionnelle. Ils ont décidé de faire descendre leur ami paralysé à travers le toit pour le conduire à Jésus. Ce n'était pas une petite entreprise, et cela nécessitait une planification soignée et une coopération.

- ✓ Notre foi n'est pas censée être passive mais active. Lorsque des défis se présentent, nous devons utiliser le don que Dieu nous a fait de notre esprit pour chercher des moyens innovants de les surmonter. N'ayez pas peur de penser en dehors de la boîte, d'être ingénieux et créatif dans vos efforts pour amener les gens à Jésus.

Rappelons-nous la foi qui réfléchit, comme les amis qui ont porté leur compagnon paralysé jusqu'à Jésus. Leur détermination inébranlable, même face aux défis, nous enseigne des leçons précieuses sur ce que signifie être de vrais amis et de fidèles croyants. Puissions-nous être inspirés par leur exemple pour aider activement les autres à rencontrer la puissance de guérison et de transformation de Christ. Amen.

Les amis ont montré des compétences remarquables en apportant leur ami paralysé à Jésus à travers le toit. Leurs actions révèlent un niveau incroyable de ressources, de travail d'équipe et de planification minutieuse :

1. **Compétences d'escalade** : Les amis ont dû escalader l'extérieur de la maison pour atteindre le toit. Cela nécessitait de la force physique, de l'agilité et des compétences en escalade. Il est important de noter que les maisons de cette époque avaient souvent des toits plats, les rendant accessibles. Cela démontre leur détermination et leurs capacités physiques.

2. **Ouverture du toit** : Une fois sur le toit, ils ont dû trouver comment l'ouvrir sans se blesser, ni blesser leur ami paralysé, ni les personnes à l'intérieur de la maison. Cela aurait pu impliquer le retrait ou le desserrage de matériaux de toiture. Leur connaissance des techniques de construction ou de menuiserie aurait été essentielle.

3. **Considérations de sécurité** : Faire descendre soigneusement leur ami paralysé à travers le toit sans le blesser était une tâche difficile. Ils ont utilisé des cordes ou des câbles pour assurer une descente contrôlée. Cela révèle leur compréhension de la physique et de la mécanique, ainsi que leur capacité à attacher des nœuds de manière sécurisée. Ils étaient probablement conscients de la

nécessité d'une descente douce et contrôlée pour éviter les blessures.

4. **Travail d'équipe** : La réussite de ce plan a nécessité une collaboration sans faille. Ils ont dû communiquer efficacement pour coordonner leurs actions. Chaque personne avait un rôle spécifique, que ce soit l'escalade, l'ouverture du toit ou la maîtrise de la descente. Cela souligne l'importance de la coopération pour atteindre un objectif commun.

5. **Évaluation des risques** : Les amis ont sans doute évalué les risques liés à leur plan. Ils ont probablement pris en compte la capacité de charge du toit, la sécurité de leur ami pendant la descente et la réaction potentielle des personnes à l'intérieur de la maison. Leur capacité à prendre des décisions calculées montre leur sagesse et leur discernement.

Marc 11 :5 *Et Jésus vit leur Foi...*

Et Jésus vit leur attitude, il l'appela la foi.

Et Jésus vit leur intelligence, il l'appela la foi.

Et Jésus vit leurs compétences, il l'appela la foi.

Les actions des amis démontrent non seulement leur foi profonde, mais aussi leurs compétences pratiques et leurs capacités à résoudre des problèmes. Ils n'ont rien laissé au hasard, mais ont planifié et exécuté méticuleusement leur mission pour amener leur ami paralysé à Jésus. Cette histoire nous encourage à appliquer nos compétences et nos connaissances de manière créative lorsque nous sommes confrontés à des obstacles dans nos propres vies et lorsque nous cherchons à aider les autres à rencontrer le pouvoir de guérison et de transformation de la foi.

> *Ils n'ont laissé aucune place au hasard, mais ont minutieusement planifié et exécuté leur mission pour amener leur ami paralysé à Jésus.*

Dans les prochaines pages, nous allons apprendre davantage sur la femme de Shunem.

02

LA FEMME DE SHUNEM

Une foi qui ne panique pas

Paniquer, c'est perdre le contrôle.

Paniquer, c'est se retrouver dans une situation sans espoir, et commencer à s'inquiéter.

Paniquer, c'est laisser ses émotions prendre le dessus.

Ça peut être des larmes.
Ça peut être de la colère.
Ça peut être de la tristesse.

La femme de Shunem a perdu son fils. Mais elle n'a pas paniqué. Elle a envoyé son serviteur dire à son mari d'envoyer un âne.

Je ne sais pas dans quel état était son cœur à ce moment-là, mais Elle devait être forte pour porter le garçon jusqu'à la chambre du prophète.

Je crois qu'elle n'a appelé personne ; personne ne savait qu'elle venait de perdre son fils.

Elle était assez forte pour contrôler son humeur.

Même lorsque son mari lui a demandé la raison pour laquelle elle allait voir l'homme de

Dieu, elle a dit : *"Tout va bien ; il n'y a pas de problème."*

> *Je crois fermement que nous pouvons gérer certaines difficultés en les gardant secrètes*

Beaucoup de gens ne vous comprendront peut-être pas.

Beaucoup de gens n'ont pas ce courage.

Certaines personnes viendront pour vous enfoncer.

Certaines personnes viendront pour accroître votre doute.

Certaines personnes vous diront que vous avez perdu la tête.

Et si elle avait dit à son mari, et qu'il avait dit de faire enterrer l'enfant, qu'il était déjà mort. Et si elle avait pleuré amèrement au point que les serviteurs et les voisins seraient venus pleurer avec elle.

Elle a décidé d'agir seule, en fonction de sa foi.

Parfois, pour que votre foi fonctionne, vous devez la garder secrète et agir seul(e), car beaucoup de gens qui ne croient pas peuvent vous décourager.

Pourquoi Abraham agirait-il seul ? Pourquoi n'en a-t-il même pas parlé à sa femme bien-aimée ?

Pourquoi n'en a-t-il même pas parlé au serviteur lorsqu'ils étaient en route ?

Pourquoi a-t-il laissé le serviteur très loin et a continué seul ?

Abraham savait que de nombreuses choses peuvent entraver votre foi. Il voulait être sûr qu'il était seul avec Dieu et Isaac.

Abraham ne voulait pas que quelqu'un lui dise qu'il avait tort, que sacrifier son fils était une folie. Abraham n'a pas paniqué ; il n'a même pas eu pitié de son propre fils. Il a levé le couteau juste au moment de découper le garçon, et Dieu a parlé : "C'est bon." Abraham a dû être fort pour ne pas avoir de pitié pour son propre enfant. Je crois qu'Isaac, le garçon, pleurait parce qu'il était attaché. Mais

Abraham n'a pas paniqué ; il n'a pas été guidé par les émotions.

Lorsque la femme de Shunem est arrivée près du prophète, elle a été remarquée de loin, puis Élisée a envoyé Guéhazi pour s'enquérir de ce qui se passait. Elle a répondu : "Tout va bien."

Lorsqu'elle a rencontré Élisée, elle s'est agenouillée. Élisée a dit : "Laissez-la tranquille ; son âme est profondément troublée." Ce qui est incroyable, c'est qu'elle était en difficulté mais n'a pas paniqué. Elle était en détresse mais n'a pas pleuré.

Elle souffrait, mais personne n'était au courant.

Elle souffrait émotionnellement, mais gardait cela pour elle.

Elle avait foi en Dieu ; elle savait que l'homme de Dieu apporterait une réponse.

La condition de ses émotions ne contrôlait pas son état de cœur. Elle ne permettait pas à son cœur d'être contrôlé par les circonstances qui l'entouraient.

La foi qu'elle portait l'empêchait de paniquer. Elle avait confiance en Dieu, peu importe ce qui se passait, Dieu résoudrait le problème.

> *Ce n'est pas le moment de paniquer.*
> *Ce n'est pas le moment de pleurer.*

C'est le moment d'être fort et de faire confiance à Dieu.

Grâce à sa foi, elle a retrouvé son enfant par les prières de l'homme de Dieu.

Dieu veut que nous ayons ce genre de foi qui ne panique pas. Dieu veut que nous comptions sur Lui.

Lorsque vous placez votre foi en Dieu, il n'y a rien dans ce monde qui puisse vous faire peur.

Dans les prochaines pages, nous allons apprendre davantage sur Thomas : la foi qui doute.

03

THOMAS

Si je ne vois pas, je ne croirai pas.
Ô Dieu, donne-moi un signe.

Jean 20 (NET)

----

[24] Thomas (appelé Didyme), l'un des douze, n'était pas avec eux lorsque Jésus vint. [25] Les autres disciples lui dirent : "Nous avons vu le Seigneur !" Mais il répondit : "À moins que je ne voie les blessures des clous dans ses mains, et que je ne mette mon doigt dans les blessures des clous, et que je ne mette ma main dans son côté, je ne le croirai jamais !" [26] Huit jours plus tard, les disciples étaient de nouveau réunis dans la maison, et Thomas était avec eux. Bien que les portes fussent verrouillées, Jésus vint et se tint au milieu d'eux et dit : "La paix soit avec vous !" [27] Puis il dit à Thomas : "Mets ici ton doigt et examine mes mains. Étends ta main et mets-la dans mon côté. Ne persiste pas dans ton incrédulité, mais crois." [28] Thomas lui répondit : "Mon Seigneur et mon Dieu !" [29] Jésus lui dit : "As-tu cru parce que tu m'as vu ? Béni sont ceux qui n'ont pas vu et qui ont cependant cru."

QUI EST THOMAS ?

Thomas, également connu sous le nom de Didyme, était l'un des douze disciples de Jésus. Cependant, lorsque Jésus est apparu aux disciples après sa résurrection, Thomas n'était pas présent avec eux.

Son attitude de doute

Lorsque les autres disciples ont partagé avec enthousiasme avec Thomas qu'ils avaient vu le Seigneur, il a répondu avec scepticisme, disant qu'il ne croirait que s'il pouvait personnellement voir et toucher les blessures aux mains et au côté de Jésus. Thomas voulait une preuve tangible, un signe qui garantirait sa croyance.

Attendre la preuve avant de croire est une forme d'incrédulité. Si je ne vois pas, je ne croirai pas. Dieu, donne-moi un signe. Je veux une garantie.

Je ne veux pas l'entendre de qui que ce soit, peut-être que vous mentez, je veux le voir moi-même.

Ils entendent la parole mais doutent toujours en raison de l'absence de l'expérience.

Ils ne veulent pas croire en l'expérience des autres. Ils veulent leur propre expérience.

Pendant ce temps, Dieu veut que nous imitions ceux qui réussissent grâce à leur foi.

La foi de Thomas n'apprend pas des autres et ne croit pas en eux.

La réaction de Thomas reflète une tendance humaine commune : exiger des preuves empiriques avant d'accepter quelque chose comme vrai. Il est naturel de chercher des expériences personnelles et des signes avant d'embrasser pleinement la foi. Cependant, Jésus a compris les doutes de Thomas et les a abordés avec compassion. Huit jours plus tard, alors que les disciples étaient réunis dans une maison verrouillée, Jésus est apparu parmi eux et les a salués avec la paix. Il s'est spécifiquement approché de Thomas et l'a invité à examiner ses blessures, l'encourageant à dépasser son incrédulité et à embrasser la foi.

En voyant Jésus et en touchant ses blessures, Thomas a été convaincu, s'exclamant : "Mon Seigneur et mon Dieu !" C'était un moment de transformation pour Thomas, car il a reconnu la divinité de Jésus et a confessé sa seigneurie.

Cependant, Jésus a également reconnu l'importance de la foi sans la nécessité de la vue physique. Il a béni ceux qui viendraient à croire en Lui sans avoir le privilège de Le voir en chair et en os. Jésus a affirmé la foi de ceux qui feraient confiance à Ses enseignements et au témoignage des autres, même en l'absence de rencontres personnelles.

NOUS NE DEVONS PAS MARCHER PAR LA VUE

"Car nous marchons par la foi, et non par la vue."

— 2 Corinthiens 5:7 (NKJV)

> *La foi consiste à suivre Dieu en se basant sur sa parole. Nous n'avons pas besoin de preuve, nous avons simplement besoin de confiance en sa parole.*

"Par la foi, nous comprenons que les mondes ont été mis en ordre sur l'ordre de Dieu, de sorte que le visible a son origine dans l'invisible."

— Hébreux 11:3 (NET)

Alors que nous vivons dans un monde physique, il y a un monde invisible qui a créé le visible.

Le Dieu invisible a créé ce que nous voyons aujourd'hui. Nous devons croire que Dieu est réel même si nous ne pouvons pas le voir.

Dans nos propres vies, nous pouvons apprendre du parcours de Thomas. Bien qu'il soit naturel de chercher des expériences personnelles, nous devrions également être ouverts aux témoignages et aux expériences des autres. Les Écritures fournissent de nombreux exemples de personnes qui ont placé leur confiance en Dieu et ont été témoins de sa fidélité, servant d'inspiration pour notre propre cheminement de foi. Nous sommes appelés à imiter leur foi, reconnaissant que la croyance enracinée dans la Parole de Dieu et le témoignage des autres peut être tout aussi puissante et transformative que les rencontres personnelles.

Efforçons-nous d'avoir une foi qui ne dépend pas uniquement de preuves physiques, mais qui englobe également la confiance dans les promesses de Dieu et les expériences de nos frères croyants. Bénis sont ceux qui, même sans voir, placent leur foi en Jésus-Christ et trouvent le salut en Lui.

"tandis que nous ne regardons pas aux choses qui se voient, mais à celles qui ne se voient pas ; car les choses qui se voient sont passagères, mais les choses qui ne se voient pas sont éternelles."

— 2 Corinthiens 4:18 (NKJV)

POURQUOI DEVONS-NOUS NOUS FOCALISER SUR L'INVISIBLE ?

Nous devons nous concentrer sur l'invisible parce que Dieu est invisible et ce qui est invisible durera.

Nous devrions prêter attention à ce que nous ne pouvons pas voir car lorsque nous observons les choses qui nous entourent, les aspects effrayants de notre monde peuvent nous effrayer.

Lorsque vous attendez de voir avant de croire, vous serez découragé, confus et déprimé, mais lorsque vous croyez sans voir, vous êtes heureux, béni et vous vous réjouissez parce que vous savez que Dieu est fidèle.

Venez à Dieu tel que vous êtes ; il tendra la main vers vous.

Jésus n'a pas blâmé Thomas, il lui a dit : viens à moi et touche-moi.

Il ne condamnera pas votre attitude de doute, il tendra la main vers vous parce qu'il vous aime.

Dans les prochaines pages, nous apprendrons à connaître la Foi de Marthe.

05

MARTHE

Elle a reporté la puissance de Dieu pour le futur, alors que cette même puissance peut agir aujourd'hui.

Jean 11 (NET)

----

[24] Marthe dit : "JE SAIS QU'IL REVIENDRA À LA VIE LORS DE LA RÉSURRECTION AU DERNIER JOUR." [25] Jésus lui dit : "Je suis la résurrection et la vie. Celui qui croit en moi vivra même s'il meurt, [26] et celui qui vit et croit en moi ne mourra jamais. Crois-tu cela ?"

MARTHE, LA SŒUR DE LAZARE.

Dans l'histoire de Marthe, que l'on trouve au onzième chapitre de l'Évangile de Jean, nous assistons à une démonstration remarquable de foi entremêlée de doute humain. Marthe, une femme de grande dévotion, se retrouve confrontée à la mort de son cher frère, Lazare. Alors qu'elle croyait fermement en la puissance de Dieu et en Sa capacité à provoquer la résurrection, sa foi a vacillé en ce qui concerne le moment présent de Dieu.

Elle croit en ce que Dieu peut faire, mais pas maintenant. Cela prendra du temps, cela se produira, mais dans l'éternité.

DIEU PEUT FAIRE PLUS QUE CE QUE VOUS PENSEZ

Marthe et Mary avaient foi en la guérison, c'est pourquoi elles ont appelé Jésus en sachant qu'il est le guérisseur, mais ce qu'elles ne savaient pas, c'est que Jésus est la résurrection et la vie, il soutient notre vie, il est l'air que nous respirons.

> *Si elles avaient su qu'il était la résurrection, je crois qu'elles n'auraient même pas organisé le funéraille, mais ils auraient attendu que Jésus vienne et trouve Lazare mort dans la maison depuis quatre jours.*

Elles sont allées l'enterrer parce qu'elles se disaient qu'il n'y avait aucun espoir, le guérisseur n'est pas venu, Jésus n'est pas apparu, allons au cimetière.

S'il vous plaît, ne pas enterrer vos morts, Jésus arrive.

CE QUE DIEU PEUT FAIRE DEMAIN, IL PEUT LE FAIRE AUJOURD'HUI.

Avec Dieu, rien n'est impossible. En exprimant sa compréhension de la résurrection future, Marthe a déclaré avec confiance : *"Je sais qu'il reviendra à la vie lors de la résurrection au dernier jour" (**Jean 11:24, NET**).* Sa foi en la capacité de Dieu à ressusciter les morts était inébranlable, mais sa lutte résidait dans la conciliation de sa foi avec la réalité présente de la mort de son frère.

C'est dans ce moment de doute et d'incertitude que Jésus est intervenu avec amour. Il a répondu à la déclaration de Marthe en disant : "Je suis la résurrection et la vie. Celui qui croit en moi vivra, même s'il meurt, et quiconque vit en croyant en moi ne mourra jamais. Crois-tu cela ?" (**Jean 11:25-26, NET**). Jésus cherchait à élargir la perspective de Marthe, révélant qu'Il était Lui-même l'incarnation de la résurrection et de la vie.

> *Les paroles de Jésus ont poussé Marthe à ne pas se contenter de faire confiance à un événement futur, mais à embrasser la réalité présente de Sa puissance.*

Il l'a invitée à placer sa foi en Lui, reconnaissant que par la croyance en Lui, même face à la mort physique, on vivrait une vie éternelle qui transcende les limites terrestres. Le combat de Marthe résonne avec nos propres défis aujourd'hui. Nous nous trouvons aussi souvent en proie à la tension entre notre croyance en la capacité de Dieu à agir et nos doutes quant à Son timing. Comme Marthe, nous pouvons avoir confiance en la puissance de Dieu, mais nous avons du mal à la concilier avec nos attentes quant au moment et à la manière dont Il devrait agir dans nos vies.

Dans les moments d'attente et d'incertitude, l'histoire de Marthe nous encourage à examiner notre propre foi et à embrasser la vérité selon laquelle les plans et le timing de Dieu sont parfaits. Nous sommes rappelés que même si nous souhaitons des solutions immédiates et des miracles instantanés, les voies de Dieu sont plus élevées que les nôtres (**Ésaïe 55:9**). Son timing n'est pas limité par les contraintes humaines, et Ses desseins sont toujours pour notre bien ultime (**Romains 8:28).**

Le voyage de Marthe nous enseigne que le doute et l'interrogation ne sont pas des signes de foi faible, mais des opportunités de croissance. C'est en luttant avec nos doutes que nous pouvons approfondir notre compréhension de la nature de Dieu et apprendre à Lui faire confiance plus pleinement. Nous pouvons trouver du réconfort dans le fait que Dieu est patient et aimant, même au milieu de nos incertitudes.

Alors que Marthe a initialement lutté avec le concept de la puissance de Dieu se manifestant dans le présent, son histoire prend un tournant magnifique. En poursuivant la lecture, nous découvrons que Jésus, dans une démonstration de Son autorité divine, ressuscite Lazare d'entre les morts **(Jean 11:38-44).** Cet événement miraculeux réaffirme la foi de Marthe et sert de puissant rappel que le timing de Dieu n'est jamais en retard, il est toujours parfait.

Dans nos propres vies, nous pouvons vivre des moments où nous doutons de la capacité de Dieu à agir dans le présent. Cependant, l'histoire de Marthe nous encourage à persévérer dans la foi et à attendre patiemment le timing de Dieu. Elle nous rappelle que les promesses de Dieu sont sûres, et Il est fidèle à les accomplir de manière qui dépasse nos attentes.

Alors que nous réfléchissons sur le parcours de Marthe, apprenons de son doute initial et de sa foi ultime. Puissions-nous avoir confiance en la puissance de Dieu, sachant qu'Il est pleinement capable de réaliser des miracles à la fois dans le futur et dans le présent.

Acceptons la vérité que notre Père céleste ne nous blâme pas pour notre doute. Il n'a pas condamné Marthe, mais au contraire, Il l'a aidée à accéder à Sa puissance en ce jour-là. Marthe aurait dû croire que ce que Dieu peut faire demain, Il peut aussi le faire aujourd'hui.

Croyez en Dieu pour votre miracle aujourd'hui.

Dans les prochaines pages, nous allons apprendre à propos de la Foi d'Abraham.

06

ABRAHAM

Lui et sa femme ont douté Dieu, mais Dieu s'est quand même imposé pour accomplir un miracle malgré leur incrédulité.

Genèse 17 (NET)

----

[15] Alors Dieu dit à Abraham : "Quant à ta femme, tu ne l'appelleras plus Sarai ; son nom sera Sarah. [16] Je la bénirai et je te donnerai un fils par elle. Je la bénirai et elle deviendra la mère de nations. Des rois de pays sortiront d'elle !" [17] Alors Abraham s'inclina le visage contre terre et rit en lui-même, se disant : "Peut-on enfanter un fils à un homme de cent ans ? Sarah peut-elle donner naissance à un enfant à l'âge de quatre-vingt-dix ans ?"[18] **Abraham dit à Dieu : "Oh ! Que N'ismaël vive devant toi !"**

[19] **DIEU DIT : "NON,** *Sarah, ta femme, te donnera un fils, et tu l'appelleras Isaac. J'établirai mon alliance avec lui comme une alliance perpétuelle pour sa postérité après lui.*

Il y a des situations dans nos vies ou si Dieu ne s'impose pas, nous ne recevrons pas le meilleur de lui.

Plus d'une fois, Abraham et sa femme ont douté de Dieu.

1. *Quand il a dit : "Seigneur, que me donneras-tu ? Je n'ai personne pour hériter de moi."*

> ***Genèse 15:2*** *Abram dit : "Ô SEIGNEUR DIEU, QUE ME DONNERAS-TU, PUISQUE JE SUIS SANS ENFANT, et l'héritier de ma maison est Éliézer de Damas ?" 3 Et Abram dit : "Puisque tu ne m'as pas donné de postérité, celui qui est né dans ma maison sera mon héritier." 4 Puis voici, la parole du SEIGNEUR vint à lui, disant : "Celui-ci ne sera pas ton héritier, mais celui qui sortira de tes entrailles, lui sera ton héritier."*

2. *Quand il a dit : "Laisse Ismaël vivre, cela me suffit."*

> ***Genèse 17:18*** *Et Abraham dit à Dieu : "Oh, que qu'Ismaël vive devant toi !" 19 MAIS DIEU DIT : "NON, MAIS SARAH TA*

> *FEMME TE DONNERA UN FILS, et tu l'appelleras Isaac ; et j'établirai mon alliance avec lui comme une alliance éternelle pour sa postérité après lui.*

Tu m'as fait une promesse, j'ai essayé de ma méthode, et j'ai eu un fils. C'est bien. C'est le fruit de mes efforts, ça me suffit.

Il y a des situations dans nos vies où si Dieu ne s'impose pas, nous n'obtiendrons pas le meilleur de lui.

3. Quand Sarah a dit : "Je suis trop vieille, et mon mari aussi."

> **Genèse 18:12** *SARAH RIT EN ELLE-MÊME, DISANT : "APRÈS QUE JE SUIS DEVENU VIEILLE, AURAI-JE DU PLAISIR, MON SEIGNEUR ÉTANT AUSSI VIEUX ?" 13 Et le SEIGNEUR dit à Abraham : "Pourquoi Sarah a-t-elle ri, disant : 'Vais-je vraiment donner naissance, alors que je suis si vieille ?' 14 "Y a-t-il quelque chose de trop difficile pour le SEIGNEUR ? Au temps fixé, je reviendrai vers toi, à cette même*

époque l'année prochaine, et Sarah aura un fils."

Abraham, connu comme le père de la foi, a connu un moment de doute lorsque Dieu a révélé que sa femme, Sarah, donnerait naissance à un fils malgré leur grand âge. Abraham a ri lui-même, remettant en question la possibilité d'un tel événement. Cependant, Dieu, dans Sa sagesse infinie, a décidé d'imposer Sa volonté et de tenir Sa promesse envers Abraham.

Malgré le doute initial d'Abraham, Dieu est resté ferme dans Son plan et a assuré à Abraham que Sarah donnerait effectivement naissance à Isaac.

Cela met en lumière un aspect important de la foi : la fidélité et la souveraineté de Dieu. Même lorsque nous doutons, Dieu reste fidèle à Ses promesses et travaille en coulisses pour les accomplir.

Les doutes d'Abraham n'ont pas entravé le plan de Dieu ; au contraire, ils ont offert à Dieu l'occasion de démontrer Sa puissance et Sa fidélité. Il y a des moments dans nos vies où nous pouvons douter des promesses de Dieu ou remettre en question la faisabilité de Ses plans.

> *Cependant, il est important de se rappeler que nos doutes ne limitent pas la capacité de Dieu à accomplir Ses desseins.*

Dieu peut utiliser nos doutes et nos luttes pour renforcer notre foi et révéler Sa fidélité.

Le parcours de foi d'Abraham nous enseigne que les plans de Dieu ne dépendent pas de nos doutes ou de nos limitations. Sa puissance et Sa fidélité surpassent notre compréhension, et Il est capable d'accomplir l'impossible.

Dans les prochaines pages, nous allons apprendre à propos de la foi associée à la prière.

07

"LA FOI ASSOCIÉE À LA PRIÈRE"

Il y a un lien entre la foi et la prière.

" C'est pourquoi je vous dis : tout ce que vous demandez dans la PRIERE, CROYEZ que vous le recevrez, et cela vous sera accordé."

— Marc 11:24 (NKJV)

La foi entre par vos oreilles, passe par votre cœur mais se termine à vos genoux.

Beaucoup de gens pensent que la foi n'est pas liée à la prière ; ils pensent qu'il n'y a pas de lien entre la prière et la foi. Cependant, la Bible le dit clairement : lorsque vous priez, croyez. Cela signifie que vous devez associer la foi à la prière ; l'un ne peut pas exister sans l'autre.

Kenneth Hagin a prié longtemps pour sa femme parce qu'elle devait subir une opération en raison d'une masse sur son œil. Un jour, Jésus est apparu à Kenneth Hagin dans une vision, lui disant que sa femme serait guérie... Je suis venu pour répondre à ta prière parce que tu avais foi en moi.

Je ne connais pas d'homme de foi qui ne prie pas.

> *Un homme de foi est quelqu'un qui a appris à parler à Dieu. Plus vous vous rapprochez de Dieu, plus vous commencez à croire en Lui.*

Smith Wigglesworth était un véritable homme de foi ; il était aussi un homme de prière.

Oral Roberts était un homme de foi ; c'était un homme de prière.

Benson Idahosa était un homme de foi ; il a ébranlé le monde en raison de sa vie de prière.

La foi entre par vos oreilles, passe par votre cœur mais se termine à vos genoux.

La foi vous conduit dans la présence de Dieu. La foi est liée à la Parole de Dieu ; par conséquent, elle est connectée à Dieu. Il y a un lien entre votre foi et votre prière.

Si vous avez la foi, vous prierez. Vous priez pour reconnaître vos limites afin que Dieu puisse manifester sa puissance.

Un homme de foi est quelqu'un qui a appris à parler à Dieu. Plus vous vous rapprochez de Dieu, plus vous commencez à croire en Lui.

Plus vous le connaissez, plus vous croyez en Sa capacité.

La prière active votre foi. La prière libère la puissance de votre foi. La prière met votre foi en action. Vous pouvez avoir la foi après avoir entendu la Parole de Dieu, mais vous devez utiliser cette foi.

Beaucoup de gens ont la foi, mais ils ne l'utilisent pas. La foi est comme une clé de voiture, mais pour la faire démarrer, vous devez alimenter cette voiture par la prière.

La prière est l'une des choses qui font fonctionner la foi. Quand vous avez la foi, cela vous poussera à prier. Quand vous priez, croyez. La foi est liée à la prière, et la prière est liée à la foi. Il y a un lien entre eux. Nous croyons en Dieu ; c'est pourquoi nous prions Dieu.

> *La foi est comme une clé de voiture, mais pour la faire démarrer, vous devez alimenter cette voiture par la prière.*

Deux grands hommes dont j'ai appris la foi sont **Kenneth Hagin et Yonggi Cho.**

Le **Dr Kenneth Hagin**, connu comme le père du mouvement de la foi, était un homme qui priait régulièrement pendant des heures. Parfois, il priait pendant de longues périodes jusqu'à ce que le Seigneur lui réponde.

Le **Dr Yonggi Cho**, connu comme le père du mouvement de la croissance de l'Église, était également un guerrier de la prière. Quand le Dr Cho était jeune, il priait pendant 5 heures chaque jour. Il le planifiait 3 fois par jour. Quand il est devenu plus âgé, il a réduit à 3 heures par jour.

Parce qu'il croyait en Dieu, il a appris à prier ; il a appris à parler à Dieu.

On ne peut pas dire qu'on a la foi sans prier. La prière est un moyen de libérer votre foi. La prière est un moyen de mettre votre foi en action.

John G. Lake était un célèbre pasteur chrétien américain et missionnaire connu pour sa foi extraordinaire dans les miracles et son engagement inébranlable envers une vie de prière. Né le 18 mars 1870 en Ontario, Canada, le voyage spirituel de Lake a été marqué par une profonde dévotion envers Dieu et une croyance dans le miraculeux.

La foi de Lake envers les miracles était profondément enracinée dans ses expériences personnelles avec Dieu. Il croyait au pouvoir de la foi pour guérir les malades, chasser les démons et accomplir d'autres actes surnaturels. Son ministère, notamment au début du XXe siècle, a été caractérisé par de nombreux récits de guérisons miraculeuses et de délivrances. Lake attribuait ces manifestations à sa foi solide et à sa confiance en la capacité de Dieu d'intervenir dans le monde physique.

Un aspect clé de la vie de Lake était sa vie de prière constante. Il comprenait la prière comme un moyen de communication directe avec Dieu et un moyen de renforcer sa *foi.* Il passait des heures en prière chaque jour, cherchant la direction, la sagesse et la puissance de Dieu. Cette discipline a non seulement approfondi sa relation avec Dieu, mais a également renforcé sa conviction que les miracles de Dieu étaient toujours possibles dans le monde moderne.

Le ministère de Lake l'a emmené dans différentes parties du monde, y compris en Afrique du Sud, où il a joué un rôle clé dans la fondation de la Mission de la Foi Apostolique d'Afrique du Sud. Pendant son séjour en Afrique du Sud, il a été témoin de nombreuses guérisons miraculeuses, ce qui a contribué à sa réputation de guérisseur de la foi. *Il croyait que la foi et la prière étaient les clés pour accéder au pouvoir surnaturel de Dieu.*

En plus de son ministère de guérison, John G. Lake a joué un rôle essentiel dans la promotion de l'idée que les chrétiens devraient vivre sans peur et sans maladie. Il croyait que la guérison divine était non seulement possible, mais devait être une partie normale de l'expérience chrétienne. Cette conviction l'a amené à établir des salles de guérison et des ministères où les gens pouvaient venir pour la prière et expérimenter le toucher de guérison de Dieu.

L'héritage de John G. Lake perdure grâce à l'influence qu'il a eue sur les mouvements pentecôtistes et charismatiques, ainsi que grâce à ses enseignements sur la foi, la guérison et la prière. Il est décédé le 16 septembre 1935, mais son impact sur la communauté chrétienne et son insistance sur la foi pour les miracles et une vie de prière constante continuent d'inspirer et de défier les croyants à ce jour.

L'évêque David Oyedepo

La foi et la vie de prière de l'évêque David Oyedepo :

L'évêque David Oyedepo est connu pour sa forte foi en Dieu. Ses prédications et ses enseignements mettent souvent l'accent sur l'importance de la *foi* en tant qu'aspect fondamental de la vie chrétienne. Il croit que la foi est la clé pour débloquer les bénédictions et les miracles de Dieu.

L'évêque Oyedepo accorde une grande importance à la *prière* dans sa vie personnelle et dans son ministère. Il enseigne que la prière est le moyen par lequel les croyants peuvent se connecter avec Dieu et accéder à Sa puissance. Il partage souvent des anecdotes personnelles sur le rôle de la prière dans son propre cheminement de foi.

À travers ses livres et ses prédications, l'évêque Oyedepo fournit des conseils pratiques sur la prière efficace. Il encourage les croyants à avoir une vie de prière cohérente, croyant que cela approfondit leur relation avec Dieu et renforce leur foi.

Miracles et foi : L'évêque Oyedepo attribue bon nombre des miracles et des percées de sa vie et de son ministère à sa *foi* inébranlable et à son engagement envers la *prière*. Il enseigne que grâce à la foi et à la prière, les croyants peuvent surmonter les défis et vivre des interventions surnaturelles dans leur vie.

Apostle Guillermo Maldonado est un ministre chrétien de premier plan et le fondateur de "King Jesus International

Ministry", l'une des plus grandes et des plus rapides églises multiculturelles aux États-Unis. Sa vie et son ministère sont caractérisés par une forte emphase sur la *foi* et la *prière* :

Apostle Guillermo Maldonado est connu pour sa foi inébranlable en Dieu. Il enseigne que la foi est la clé pour vivre les bénédictions de Dieu et les manifestations surnaturelles. Son ministère inclut souvent des témoignages de guérisons miraculeuses et de transformations de vie attribuées à la puissance de la foi.

Mise en avant de la prière : Maldonado accorde une grande importance à la prière dans la vie d'un chrétien. Il croit que la prière n'est pas simplement un rituel religieux, mais un puissant moyen de se connecter avec Dieu et d'accéder à Sa puissance surnaturelle.

Combat spirituel par la prière : Apostle Maldonado est connu pour enseigner sur le Combat spirituel par la prière. Il croit que la prière peut être une arme contre les forces spirituelles des ténèbres et que les croyants devraient s'engager dans une prière fervente et stratégique pour surmonter les défis spirituels.

À travers son ministère, Maldonado est associé à de nombreux témoignages de guérisons miraculeuses. Il enseigne que la guérison n'est pas seulement possible, mais qu'elle fait partie intégrante de la foi chrétienne, et qu'elle survient souvent grâce à une prière remplie de foi.

La vie et le ministère de l'apôtre Guillermo Maldonado sont marqués par une forte foi en Dieu et un profond engagement envers la prière. Il enseigne que la foi et la prière sont des éléments essentiels du cheminement chrétien, et à travers eux, les croyants peuvent vivre la puissance miraculeuse de Dieu et la transformation dans leur vie.

Le pasteur Enoch Adejare Adeboye, souvent appelé Pasteur E.A. Adeboye, est un pasteur nigérian très respecté et le Surintendant Général de l'Église du Christ en nations, dite Redeemed Christian Church of God (RCCG), une des plus grandes et des plus rapides églises pentecôtistes au monde. Sa vie et son ministère sont profondément enracinés dans la *foi* et la *prière* : Le Pasteur Adeboye est célèbre pour sa forte croyance (foi) en Dieu. Il est convaincu qu'une forte foi en Dieu peut changer des vies et des situations. Il parle beaucoup de l'importance d'avoir une foi solide en Jésus et de vivre une vie sainte.

Dévouement à la prière : La prière est un pilier de la vie et du ministère du Pasteur Adeboye. Il souligne l'importance de la prière comme moyen de communication avec Dieu et de recherche de Sa guidance. Il encourage souvent les croyants à maintenir une vie de prière cohérente et fervente.

Réunions de prière : Sous sa direction, Redeemed Christian Church of God (RCCG) est devenue connue pour ses réunions de prière, telles que les réunions du Saint-Esprit et le Congrès mensuel du Saint-Esprit. Ces rassemblements attirent des millions de participants et sont axés sur l'adoration intensive, la prière et la quête de la présence de Dieu.

Jeûne et prière : Le Pasteur Adeboye préconise le jeûne et la prière comme un moyen de se rapprocher de Dieu et de vivre des percées. Il a promu des programmes annuels de jeûne et de prière au sein de Redeemed Christian Church of God (RCCG), auxquels assistent des millions de membres dans le monde entier.

Miracles et foi : De nombreux témoignages miraculeux sont associés au ministère du Pasteur Adeboye, allant de guérisons physiques à des percées financières. *Il attribue ces miracles au pouvoir de la foi et de la prière*, et partage souvent ces témoignages pour inspirer les croyants. Le ministère du Pasteur Adeboye s'étend à de nombreux pays à travers le monde. Redeemed Christian Church of God (RCCG) a une présence mondiale avec des branches et des paroisses dans diverses nations, soulignant l'importance de la foi et de la prière dans la vie des croyants du monde entier.

> *Il y a un lien entre la foi et la prière. Lorsque vous avez la foi, elle vous mènera à parler à votre Père céleste.*

Dans les prochaines pages, nous apprendrons à propos de la foi qui va dans la direction opposée.

06

LA FOI QUI VA DANS LA DIRECTION OPPOSÉE

La parabole de la veuve persévérante

Dans l'Évangile selon Luc, chapitre 18, versets 1-8, ce passage nous parle de l'importance de la foi qui va à l'opposé de nos circonstances et de notre raisonnement humain. Il nous met au défi de cultiver une foi qui persévère dans la prière et qui fait confiance à la justice de Dieu, même lorsque tout semble contre nous.

Luc 18:1-8 (LSG)

1 Jésus leur adressa une parabole, pour montrer qu'il faut toujours prier, et ne point se relâcher. 2 Il dit: "Il y avait dans une ville un juge qui ne craignait point Dieu et qui n'avait d'égard pour personne. 3 Il y avait aussi dans cette ville une veuve qui venait lui dire: Fais-moi justice de ma partie adverse. 4 Pendant longtemps il refusa. Mais après cela, il dit en lui-même: Quoique je ne craigne point Dieu et que je n'aie d'égard pour personne, 5 néanmoins, parce que cette veuve m'importune, je lui ferai justice, afin qu'elle ne vienne pas sans cesse me rompre la tête. 6 Le Seigneur ajouta: Écoutez ce que dit le juge inique. 7 Et Dieu ne fera-t-il pas justice à ses élus, qui crient à lui jour et nuit, et tardera-t-il à leur égard? 8 Je vous le dis, il leur fera promptement justice. Mais, quand le Fils de l'homme viendra, trouvera-t-il la foi sur la terre?"

La Veuve Persévérante :

Dans cette parabole, Jésus nous présente une veuve qui représente les marginalisés et les opprimés de la société. Elle recherche la justice contre son adversaire, mais le juge auquel elle s'adresse est injuste et apathique.

Les chances semblent être contre elle. Cependant, elle possède une foi qui va dans la direction opposée.

Sa persévérance : Malgré le refus initial du juge, la veuve ne se décourage pas. Elle continue de venir, poursuivant sans relâche la justice. Sa foi face à l'adversité est louable.

Que pouvons-nous apprendre ? : Tout comme la veuve persévérante, nous faisons face à des situations où la justice semble lointaine, les prières semblent sans réponse et les circonstances semblent insurmontables. Mais c'est précisément dans de tels moments que notre foi peut briller.

Le Juge Inique:

Le juge de cette parabole sert de contraste frappant avec notre Dieu aimant et juste. Il ne craint ni Dieu ni les gens. Cependant, il finit par accorder justice en raison de la persévérance de la veuve, non par réelle préoccupation.

Dieu n'est pas comme le juge inique. Ce juge a mis du temps à changer d'avis, mais la Bible dit que Dieu agira rapidement parce qu'Il est juste, miséricordieux et compatissant. Il se soucie profondément de Ses enfants et aspire à répondre à leurs prières.

Nous devons maintenir notre foi en la bonté de notre Père céleste, même lorsque les circonstances semblent défavorables. Notre Dieu prend plaisir à répondre à nos prières, et Sa justice prévaudra.

Le Défi de la Foi:

> *Si vous dites avoir la foi, votre foi sera mise à l'épreuve.*

Jésus conclut cette parabole par une question stimulante : "Quand le Fils de l'homme viendra, trouvera-t-il la foi sur la terre ?" C'est un appel pour nous à examiner la profondeur de notre foi.

1. **Foi persévérante :** Nous sommes appelés à avoir une foi qui persévère dans la prière, même lorsque la réponse semble tarder. Notre persévérance dans la prière reflète notre confiance dans le timing et la justice de Dieu.

2. **La Foi qui va à l'encontre des probabilités :** Notre foi devrait être prête à aller à l'opposé de nos circonstances et de notre raisonnement humain. Nous devrions faire confiance à la sagesse et à la bonté de Dieu, même lorsque cela n'a pas de sens.

Cultivons une foi qui va à l'encontre du doute, de la peur et du désespoir. Poursuivons sans relâche la justice de Dieu, sachant qu'Il est fidèle et juste. Que notre foi brille intensément dans un monde rempli d'incertitude, et lorsque le Fils de l'homme reviendra, puissions-Nous le trouver fermes dans notre foi. Amen.

Dans les pages suivantes, nous apprendrons à connaître Zacharie : le prêtre.

08

ZACHARIE

Un mari qui priait avec incrédulité et qui a été exaucé par Dieu.

Qui est Zacharie ?

Zacharie était un prêtre, et sa femme s'appelait Élisabeth. Ils étaient les parents de Jean le Baptiste, une figure éminente dans le chrétien. Zacharie priait, *mais il ne croyait pas, pourtant Dieu l'a exaucé sans tenir compte de son incrédulité.*

Zacharie et sa femme étaient tous deux justes, obéissant à la parole de Dieu, mais leur justice ne les a pas épargnés des ennuis.

Être juste ne dispense pas des défis ou des problèmes de la vie. En fait, les gens justes sont souvent confrontés à des difficultés, comme Jésus-Christ, qui a enduré la souffrance malgré sa justice.

> *Nombreux sont les malheurs du juste, mais l'ÉTERNEL le délivre de tous.*
>
> ***Psaume 34:19 (NASB)***

Zacharie et Élisabeth étaient âgés et faisaient face à de multiples obstacles pour concevoir un enfant. Leur âge était une limitation naturelle, ce qui rendait improbable pour eux d'avoir des enfants. Élisabeth, en tant que vieille femme, manquait du désir et de la force physique pour donner naissance et était devenue stérile.

Zacharie priait ardemment pour que sa femme conçoive, probablement pendant longtemps, jusqu'à leur vieillesse. Cependant, il priait avec incrédulité, similaire aux premiers chrétiens qui priaient pour la libération de Pierre de prison dans le livre des Actes. Ils ont été surpris quand leurs prières ont été exaucées rapidement. La prière de Zacharie a mis du temps à être exaucée, et ses doutes ont probablement grandi avec le temps.

La Bible dit : *"Un espoir différé rend le cœur malade, mais un désir accompli est un arbre de vie."* **Proverbes 13:12** (NET)

Quand les prières restent sans réponse pendant longtemps, il est naturel de devenir découragé.

En **Luc 1:20**, Zacharie a été frappé de mutité par un ange parce qu'il ne croyait pas aux paroles de l'ange venant de Dieu. Marie a également posé une question similaire, mais n'a pas été punie. Dieu attendait de Zacharie, en tant que prêtre, une plus grande foi et spiritualité. Marie, bien qu'elle ne soit pas prêtre, a reçu une réponse différente car elle n'était pas soumise aux mêmes normes spirituelles que Zacharie. La réponse de Dieu à différentes personnes peut varier en fonction de leurs rôles, responsabilités et niveaux de foi. Malgré l'incrédulité de Zacharie, Dieu a quand même exaucé sa prière.

Pourquoi Dieu répond-il aux prières même en présence de doutes ?

1. **Parce qu'il vous aime** : L'amour de Dieu pour ses enfants est inconditionnel. Il répond à nos prières par amour et par grâce.

2. **Parce qu'il a un plan** : Dieu peut avoir un plan caché derrière les prières exaucées. Dans le cas de Zacharie, Dieu orchestrait les événements pour la venue de Jésus, et Zacharie devait attendre le moment opportun.

Les destins sont souvent liés, et le temps de Dieu est parfait. Même si vous priez en doutant, Dieu peut répondre à vos prières parce qu'il connaît votre cœur et qu'il a un but pour votre demande.

Faites confiance à l'amour de Dieu, même lorsque votre foi est faible son amour reste fort.

La foi est opérationnelle même en présence du doute.

Dans les pages suivantes, nous en apprendrons plus sur Pierre.

09

LA FOI DE PIERRE

Le preneur de risques

Le seul disciple qui a pris le risque de marcher sur l'eau.

Cette histoire tirée de l'Évangile selon Matthieu, chapitre 14, versets 22-33, nous enseigne des leçons précieuses sur la foi, le fait de prendre des risques, et l'amour inébranlable de Dieu, même lorsque le doute s'insinue. Explorons ce récit en gardant à l'esprit trois points clés.

I. Pierre a demandé si c'était Jésus qui marchait sur l'eau :

Au milieu d'une tempête déchaînée, les disciples ont vu une silhouette marchant sur l'eau, et Pierre, dans un moment à la fois d'admiration et d'incertitude, a demandé : *"Seigneur, si c'est toi, ordonne-moi de venir vers toi sur l'eau" (**Matthieu 14:28**).* La question de Pierre révèle son désir d'être proche de Jésus, mais aussi son besoin de confirmation.

Tout comme Pierre, il est bon de chercher des assurances de la part de Jésus lorsque nous sommes incertains ou que nous affrontons les tempêtes de la vie. Sa réponse à nos doutes peut nous conduire à des expériences profondes de foi.

II. Il a pris le risque d'essayer :

Après avoir reçu l'ordre de Jésus, Pierre a courageusement quitté le bateau et marché sur l'eau. *Il a pris un risque qui défiait les lois de la nature*, et pendant un moment, il a marché sur l'eau. Sa foi en Jésus lui a permis de faire ce qui semblait impossible.

> *Le courage de Pierre de sortir de sa zone de confort nous encourage à prendre des risques pour notre foi.*

Parfois, Dieu nous appelle à accomplir l'extraordinaire, et c'est dans ces moments de confiance que nous expérimentons sa puissance et sa présence.

III. Il a commencé à se noyer après avoir douté, mais Jésus l'a retenu :

Alors que Pierre marchait sur l'eau, le doute s'est insinué, et il a commencé à se noyer. Mais voici la partie la plus belle de l'histoire : dans son moment de faiblesse, Pierre a crié : *"Seigneur, sauve-moi !"* ***(Matthieu 14:30)***. Immédiatement, Jésus l'a attrapé.

Ce moment nous enseigne que nos doutes, nos peurs et nos échecs ne font pas que Jésus nous abandonne. Il est toujours là, prêt à nous secourir quand nous crions vers lui. C'est un puissant rappel de l'amour et de la grâce inébranlables de Dieu.

L'histoire de Pierre marchant sur l'eau nous incite à examiner notre propre foi et notre disposition à prendre des risques. Elle nous rappelle que les doutes peuvent survenir, mais ils ne doivent pas définir notre voyage. Au contraire, souvenons-nous que Jésus est là pour nous rattraper quand nous faiblissons, pour nous relever quand nous coulons, et pour nous guider à travers les tempêtes de la vie.

Que nous trouvions le courage de marcher dans la foi, en croyant que même lorsque nous doutons, Jésus ne nous laissera jamais sombrer, mais nous tiendra fermement avec son amour infaillible. Amen.

Dans les prochaines pages, nous apprendrons à propos de la Foi qui Déclare.

10

LA FOI QUI DÉCLARE

"Car par tes paroles, tu seras justifié, et par tes paroles, tu seras condamné."

La foi a besoin d'action pour être efficace. La foi sans œuvres est morte, ce qui signifie qu'elle ne produira rien. Simplement s'asseoir et dire que l'on croit en Dieu pour un changement, c'est comme jouer à un jeu gratuit sans récompense.

Nos paroles ont du pouvoir. Imaginez combiner nos paroles avec la Parole de Dieu.

Je ne sais pas pourquoi certaines personnes hésitent à déclarer, alors que c'est gratuit ; il vous suffit d'ouvrir la bouche et de proclamer ce que dit la Parole de Dieu.

1. Déclarer la Parole de Dieu apporte la justification.

"Car par tes paroles, tu seras justifié, et par tes paroles, tu seras condamné."

— Matthieu 12:37 (NET)

Par tes paroles, tu peux être justifié, ce qui signifie être libéré. Être condamné signifie que tu es coupable, te condamnant toi-même par tes propres paroles.

"La mort et la vie sont au pouvoir de la langue, et ceux qui l'aiment mangeront de son fruit."
— Proverbes 18:21 (NET)

Beaucoup de gens sous-estiment le pouvoir de leurs paroles, mais la Bible souligne l'influence de la langue.

Jacques 3 (NKJV)

[3] Or, nous mettons le mors dans la bouche des chevaux pour les faire obéir, et nous dirigeons ainsi leur corps tout entier. [4] Voici, aussi, les navires, qui sont si grands et emportés par des vents impétueux, ils sont dirigés par un très petit gouvernail au gré du pilote. [5] Il en est de même pour la langue, petite chose, et de grandes choses a

pourtant vanté. Voyez comme un petit feu peut embraser une grande forêt !

Bien que la langue soit petite, elle a un impact significatif sur notre destinée. Elle est comparée à un gouvernail qui peut diriger un énorme navire. Il y a un pouvoir sur ta langue qui peut consumer une forêt. Jacques nous conseille d'être sages dans l'utilisation de notre langue.

Si tu valorises ta langue, elle produira du fruit. Pour produire du fruit dans le jardin de ta vie, tu dois planter des graines.

"Le sens de cette parabole, c'est que LA SEMENCE, C'EST LA PAROLE DE DIEU."

— Luc 8:11 (NET)

Lorsque tu sèmes de bonnes graines de la Parole de Dieu, tu peux t'attendre à une récolte abondante.

Utilise ta langue correctement et vois-toi au sommet, au nom de Jésus.

2. Déclarer la Parole de Dieu valide les choses.

"Je vous le dis en vérité, si quelqu'un dit à cette montagne : 'Ote-toi de là et jette-toi dans la mer', et s'il ne doute pas en son cœur, mais croit que ce qu'il dit arrive, il le verra s'accomplir."

— Marc 11:23 (NKJV)

Ce que tu dis en permanence révèle ta foi. Tu peux avoir ce que tu dis. Sois audacieux dans tes déclarations. N'aie pas peur ; tu as du pouvoir dans ta bouche.

"CE QUE TU DÉCLARERAS AUSSI, ÇA SERA ÉTABLI POUR TOI ; et la lumière brillera sur tes chemins."

— Job 22:28 (NKJV)

Ce que tu déclares se réalisera. Cela prendra racine, sera établi et produira des effets dans ta vie. Tes déclarations deviendront réalité.

Il y avait une femme qui déclarait depuis son enfance qu'elle ne mourrait pas jeune. Pendant plus de 40 ans, elle faisait cette confession tous les jours en utilisant des écritures et en priant de tout son cœur. Un jour, elle tomba gravement malade et resta à l'hôpital pendant une longue période. Elle perdit courage et demanda à Dieu de la prendre au ciel, fatiguée de sa maladie et de sa vie à l'hôpital.

Après un certain temps, un ange lui apparut, lui disant qu'elle sortirait bientôt de l'hôpital. Elle répondit que l'ange avait le mauvais message, car elle avait demandé à Dieu de la prendre chez elle. L'ange insista sur le fait qu'elle ne pouvait pas mourir maintenant, car ce n'était pas ce que le Père lui avait envoyé dire. L'ange lui montra une vision de sa vie, avec ses années de déclarations qu'elle ne mourrait pas jeune. Ensuite, l'ange la ramena à l'hôpital.

Elle comprit et remercia Dieu pour l'envoi de l'ange. Quelques jours plus tard, elle sortit de l'hôpital et rentra chez elle en bonne santé. Elle vécut de nombreuses années, atteignant un âge avancé en bonne santé.

Déclarer la parole de Dieu peut avoir un effet positif sur votre cerveau.

Le Dr. Yonggi Cho, dans son livre "La quatrième dimension", a partagé une conversation puissante qu'il a eue avec un médecin au sujet de l'impact de notre langue sur notre cerveau.[1]

Il existe certaines étapes que nous devons suivre pour que la foi puisse être correctement incubée, et une vérité centrale que nous devons comprendre concernant le domaine dans lequel la foi opère. De plus, *il existe un principe de base concernant la parole prononcée que nous devons comprendre. Par conséquent*, j'aimerais discuter du pouvoir créatif de la parole prononcée et des raisons pour lesquelles son utilisation revêt une telle importance.

---

[1] *Dr. Yonggi Cho ; La 4ème Dimension/Tome1*

Un matin, j'ai pris le petit déjeuner avec l'un des plus éminents neurochirurgiens de Corée, qui a partagé diverses découvertes médicales sur le fonctionnement du cerveau. Il m'a demandé : "Dr. Cho, saviez-vous que le centre de la parole dans le cerveau a autorité sur tous les nerfs ? Vous, les ministres, détenez un grand pouvoir car, selon nos récentes recherches en neurologie, le centre de la parole dans le cerveau exerce son autorité sur tous les autres nerfs."

J'ai souri et répondu : "Je le sais depuis un certain temps." Il a demandé : "Comment en êtes-vous venu à le savoir ? Dans le domaine de la neurologie, ce sont des découvertes récentes." J'ai expliqué que je l'avais appris du Dr. James, qui était un médecin renommé il y a près de deux mille ans, à l'époque biblique. "Dans son livre, chapitre trois, les premiers versets", ai-je élaboré, "le Dr. James décrit clairement l'importance et la fonction de la langue et du centre de la parole." Le neurochirurgien en était totalement stupéfait. "La Bible enseigne-t-elle vraiment cela ?", a-t-il demandé. "Oui", ai-je affirmé, "La langue peut être la plus petite partie de notre corps, mais elle peut contrôler tout le corps."

Le neurochirurgien a poursuivi en détaillant leurs découvertes. Il a affirmé que le centre nerveux de la parole possédait une telle autorité sur le corps que le simple fait de parler pouvait donner à quelqu'un le contrôle sur son corps, lui permettant de le façonner comme il le souhaitait.

Il a expliqué : "Si quelqu'un dit continuellement : 'Je vais devenir faible', tous les nerfs reçoivent instantanément ce message, les incitant à se préparer à la faiblesse en fonction des instructions de notre système de communication central. Ils adaptent leurs réponses physiques pour correspondre à la faiblesse. De même, si quelqu'un déclare : 'Je n'ai pas la capacité. Je ne peux pas accomplir cette tâche', les nerfs réagissent de la même manière. 'Oui', affirment-ils, 'nous avons reçu des instructions du système nerveux central selon lesquelles nous n'avons pas les compétences nécessaires, donc nous devons cesser de nous efforcer de développer une quelconque compétence. Nous devons nous préparer à faire partie d'une personne incapable.'"

Le neurochirurgien a souligné davantage : "Lorsque quelqu'un affirme continuellement : 'Je suis très vieux. Je suis si vieux et fatigué que je ne peux rien accomplir', le centre de la parole émet immédiatement des ordres en ce sens. Les nerfs obéissent, disant : 'Oui, nous sommes vieux. Nous sommes prêts pour la tombe. Préparons-nous à la désintégration.' Ainsi, si quelqu'un affirme constamment sa vieillesse, il hâte sa propre fin." Il a mis en garde contre la retraite, en déclarant : "La retraite amène les individus à s'affirmer continuellement : 'Je suis à la retraite.' Par conséquent, les nerfs deviennent moins actifs et se préparent à une fin rapide."

Cette conversation avait pour moi une signification profonde et a eu un impact durable sur ma vie. Elle a souligné le rôle essentiel de la parole prononcée dans la création d'une vie personnelle réussie. Les gens ont souvent tendance à adopter une parole négative, telle que : "*Je suis si pauvre. Je n'ai pas d'argent à donner au Seigneur*."

Lorsqu'on leur offre une opportunité d'emploi bien rémunéré, leur système nerveux répond : "Je ne peux pas atteindre la richesse car je n'ai pas encore reçu la directive inverse de mon centre nerveux. Je suis destiné à être pauvre, donc je ne peux pas accepter ce travail. Je ne peux pas gérer d'avoir de l'argent." En conséquence, en suivant la loi de l'attraction, ils restent piégés dans la pauvreté.

Comme la Bible l'a proclamé il y a près de 2 000 ans, ce principe demeure vrai aujourd'hui. La science médicale n'a découvert cette vérité que récemment. Le neurochirurgien a recommandé aux individus de s'affirmer : "Je suis jeune. Je suis capable. Je peux accomplir des tâches comme un jeune, peu importe mon âge chronologique." Cette affirmation réveillerait leurs nerfs, les imprégnant de vitalité et de force provenant du centre nerveux.

La Bible affirme de manière catégorique que celui qui contrôle la langue contrôle tout le corps. Vos paroles se manifestent dans la réalité. Affirmer continuellement votre pauvreté conditionne tout votre système à attirer la pauvreté, et vous vous sentez à l'aise dans cet état. En revanche, affirmer de manière constante votre capacité et votre potentiel prépare votre corps au succès, vous permettant de faire face et de surmonter les défis. Par conséquent, vous devez toujours vous abstenir de parler de manière négative.

En Corée, nous avons l'habitude d'employer fréquemment des expressions liées à la mort. Les phrases courantes comprennent : "Oh, il fait tellement chaud que je pourrais mourir," "J'ai tellement mangé que je pourrais suffoquer à mort," "Je suis tellement heureux que je pourrais mourir," et "J'ai peur à en mourir." Une telle utilisation négative de la langue a joué un rôle dans les luttes historiques de la Corée et son état constant de guerre.

Ma génération n'a jamais connu la paix durable dans notre pays, ayant grandi pendant la Seconde Guerre mondiale et la Guerre de Corée, et vivant toujours dans une nation au bord du conflit.

> *Pour effectuer un changement personnel, il faut d'abord transformer sa langue. Sans modifier votre langue, la transformation personnelle reste insaisissable.*

Si vous désirez voir un changement chez vos enfants, instruisez-les dans l'utilisation d'une langue appropriée. Pour transformer une jeunesse rebelle et irresponsable en adultes responsables, enseignez-leur cette nouvelle langue.

Où peut-on apprendre cette nouvelle langue ?

La meilleure source de langue est la Bible. Lisez la Bible du début à la fin, adoptez son langage. Prononcez des paroles de foi et nourrissez votre système nerveux d'un vocabulaire composé de termes constructifs, progressistes, productifs et victorieux. Affirmez continuellement ces mots, en leur permettant de prendre le contrôle de tout votre être.

En conséquence, vous deviendrez victorieux, pleinement capable de faire face à votre environnement et à vos circonstances, et d'atteindre le succès. C'est la raison principale d'utiliser la parole parlée : créer le pouvoir pour une vie personnelle réussie.

CONCLUSION

[22] Jésus leur répondit : "Ayez foi en Dieu.
[23] Car je vous le dis en vérité, si quelqu'un dit à cette montagne : 'Être enlevée et jetée dans la mer', et s'il n'a pas de doute dans son cœur, mais croit que ce qu'il dit arrivera, il le verra s'accomplir.
[24] C'est pourquoi je vous dis : TOUT CE QUE vous DEMANDEZ en priant, CROYEZ que vous LE RECEVEZ, et vous L'AUREZ.
Marc 11 (NKJV)

Alors que nous concluons notre exploration de la foi dans "*10 Sortes de Foi*", nous trouvons notre modèle ultime de croyance inébranlable en la personne de Jésus-Christ. Tout au long des pages de ce livre, nous avons plongé dans divers aspects de la foi, du pouvoir des mots à la capacité de croire sans voir. Nous avons été émerveillés par les récits de personnes comme la femme de Shunem, la veuve persévérante, les quatre amis qui portaient leur compagnon malade, et le père de la foi, Abraham. Ces récits ont mis en lumière les diverses expressions de la foi face aux épreuves, aux doutes et à la condition humaine.

Pourtant, c'est Jésus-Christ lui-même qui se tient comme le fondement de la foi, l'auteur et le consommateur de notre foi. Ses miracles extraordinaires, sa confiance inébranlable en le Père céleste et sa volonté de confronter le doute et la peur de front nous servent de guide dans notre voyage de foi.

Jésus, notre modèle parfait de foi, a non seulement démontré le pouvoir miraculeux de la croyance, mais aussi la profonde signification de se soumettre au plan divin de Dieu. Il a compris la tendance humaine à vaciller et douter, et il nous a enseigné à surmonter ces défis par la foi.

De plus, Jésus a promis le Saint-Esprit pour nous donner la puissance et nous guider dans notre voyage de foi, offrant du réconfort en période de doute et intercédant en notre faveur dans la prière. Sa persévérance face au rejet, à la persécution et à la crucifixion illustre la persévérance dans la foi, nous inspirant à rester fermes dans nos propres épreuves.

En embrassant les principes de foi que Jésus-Christ a exemplifiés, nous nous transformons et devenons des agents de changement positif dans le monde. Notre foi, ancrée en la personne de Jésus, devient une fondation inébranlable sur laquelle nous pouvons construire des vies de dessein, d'espoir et de croyance inébranlable. Tout comme Jésus déplaçait les montagnes avec sa foi, nous aussi, en le regardant comme notre modèle ultime et guide dans le voyage de la foi, pouvons le faire.

À propos de l'auteur :

***Michel Kimi**, apôtre, est le fondateur de la communauté "Gates of Zion" à Accra, au Ghana, avec une branche à Kinshasa, en République démocratique du Congo. Il a étudié l'agriculture et obtenu un diplôme au Centre de formation biblique dirigé par le Docteur Silas Makangu. En outre, il a fréquenté l'École Biblique d'Anagkazo sous la direction de l'évêque Dag Heward-Mills, ce qui a alimenté sa passion pour la présence de Dieu.*

Il est passionné par la présence de Dieu. Il est écrivain, chanteur et un étudiant assidu de la Parole.

Contact

Téléphone : +233552348265

E-mail : michelkimi37@gmail.com

Autres livres de l'auteur à paraître

- 50 Sortes de Chrétiens
- 10 Sortes de Foi
- Quand Dieu est avec toi
- Suivre Jésus
- Mystères de la grâce
- Choisir entre la peur et la foi
- La bonne lutte
- Pourquoi tu dois pardonner
- Porter des fruits
- Ne t'inquiète pas
- Champion
- Les promesses de Dieu pour la victoire
- 50 Raisons pour lesquelles tu dois venir à l'église